Le Mont Saint-Michel

texte Lucien Bély Professeur à la Sorbonne
photographies Hervé Champollion

En couverture.
Le Mont vu du sud-est.

En 4e de couverture.
Le Mont Saint-Michel au soleil couchant.

En vignette de gauche à droite.
La chapelle Saint-Aubert ; le cloître gothique ; les remparts.

Page de gauche.
Les logis abbatiaux au premier plan et, à l'arrière, le chevet flamboyant et le clocher de l'église, d'inspiration romane. La construction du monastère s'étale sur plusieurs siècles et mêle les différents styles.

Ci-contre.
Saint Michel, enseigne de pèlerinage du XVe siècle.
(Musée national du Moyen Age de Cluny. Photo RMN - © Gérard Blot)

Editions OUEST-FRANCE

1.

1.
Les moutons prés-salés paissent sur les herbus qui recouvrent peu à peu la tangue. Le Mont surgit au milieu des sables, avec la cité au pied du rocher et le monastère au sommet.

2.
L'îlot de Tombelaine, l'autre rocher de la baie. Les Anglais s'en emparent pendant la guerre de Cent Ans.

3.
La flèche du clocher, surmontée de la statue dorée de l'archange Michel par Frémiet, installée en 1897.

4.
La tour Boucle, un des premiers exemples de bastion (tour polygonale) en Europe et, à l'arrière, la silhouette fortifiée de l'abbaye.

5.
La chapelle Saint-Aubert, tout près de la grève, porte le nom de l'évêque d'Avranches qui a fondé le sanctuaire.

L'origine du Mont Saint-Michel

Le rocher et la mer

Il faut imaginer le Mont Saint-Michel avant toute construction humaine : le rocher, haut de quatre-vingts mètres seulement, aux flancs abrupts, est constitué de granit, roche très dure, qui a bien résisté, pendant des millénaires, à l'érosion.

La mer a envahi peu à peu les terres autour du Mont. La marée, dans la baie où se dresse le rocher, est parmi les plus fortes du monde. Sur des grèves presque plates, le flot, pour atteindre son niveau de marée haute, doit donc parcourir, en quelques heures, vingt kilomètres, à la vitesse d'un cheval au galop. L'eau court parfois sous les sables qui deviennent mouvants et dangereux.

Trois rivières divaguent sur les grèves : la Sée, la Sélune et le Couesnon. Ce dernier sert de frontière entre la Bretagne et la Normandie, puisque, comme le veut un dicton : « Le Couesnon a fait folie, c'est pourquoi le Mont est en Normandie. »

Une vase grise, la « tangue », donne au paysage sa couleur tendre. Les sables, lorsque l'eau salée ne revient plus les recouvrir, se transforment en « herbus » dont l'herbe fait les délices des moutons, appelés « prés-salés ».

2.

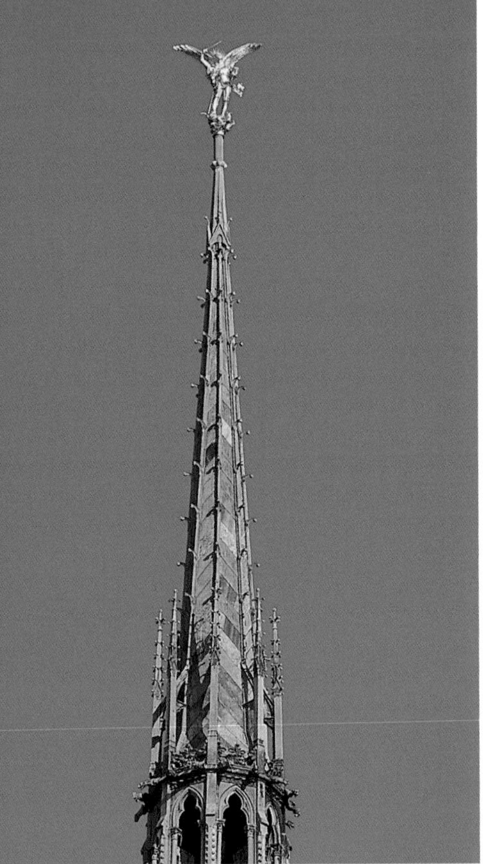

3.

4.

5.

Aubert dédie le Mont à saint Michel

Le lieu qui porte, de nos jours, le nom de Mont Saint-Michel, s'appelle d'abord le Mont Tombe, ce qui signifierait à la fois le tombeau et l'élévation. Alors que le christianisme s'impose en Occident, des chrétiens fervents s'y installent peut-être, pour vivre en ermites dans la solitude et la pauvreté.

Surtout, le Mont devient vraiment un haut lieu de la foi chrétienne, lorsque l'évêque d'Avranches, Aubert, le dédie à saint Michel, un archange.

La Bible a décrit la hiérarchie des créatures célestes : les anges ont au-dessus d'eux des archanges : Michel, Raphaël et Gabriel. Cette tradition est reprise dans le christianisme : l'archange devient saint Michel. Ange guerrier, il est représenté d'abord avec de grandes ailes et une longue tunique blanche, puis avec, à la main, une lance ou une épée flamboyante.

L'archange saint Michel apparaît plusieurs fois en Italie : au Monte Gargano, presqu'île rocheuse sur la mer Adriatique, et à Rome, près du Mausolée d'Hadrien, appelé désormais Château Saint-Ange.

Selon le récit rédigé plus tard, une nuit de l'an 708, Aubert voit saint Michel dans un de ses rêves. L'archange lui ordonne de consacrer le Mont à son culte. Aubert n'en fait rien, craignant d'être trompé par son imagination. L'ange s'impatiente, et, lors de sa troisième apparition, il enfonce son doigt dans le crâne de l'incrédule.

Comme l'a demandé l'archange, Aubert envoie des messagers vers le Monte Gargano, en Italie. Ils en rapportent des souvenirs sacrés : un morceau du manteau rouge que portait saint Michel lors de l'une de ses apparitions et un fragment de l'autel où il a posé le pied.

Sur le Mont qui, peu à peu, devient le Mont Saint-Michel, Aubert installe quelques hommes pour prier Dieu et son archange.

La fondation de l'abbaye

Charlemagne a fait régner paix et prospérité, mais elles ne durent guère. Des hommes du Nord, les Normands, viennent chaque année ravager les côtes. Ils finissent par s'installer, et le roi des Francs reconnaît l'un de leurs chefs, Rollon, comme « duc de Normandie ». En échange, le redoutable guerrier se fait chrétien, avec tous ses soldats, et protège désormais les serviteurs de Dieu.

Rollon et ses descendants favorisent la renaissance des grands sanctuaires ruinés. Le duc Richard reproche aux « chanoines », vivant au Mont Saint-Michel, leur immoralité et leur impiété. Il les fait chasser et les remplace en l'an 966 par des moines pieux et soumis, venus de Flandre, guidés par un homme d'illustre famille, Maynard. Ces religieux adoptent la règle de saint Benoît, c'est-à-dire un ensemble de principes et d'exigences qui organisent leur vie : pauvreté individuelle, chasteté, obéissance à l'abbé. Ainsi naît une abbaye « bénédictine ».

Les moines ont un chef, l'abbé, le « père » de la communauté, qui administre les biens du monastère, embellit le culte de saint Michel et reçoit les visiteurs. Théoriquement, les religieux élisent leur supérieur ; pratiquement, longtemps, le duc de Normandie, comme protecteur de l'abbaye, impose son propre candidat.

1.

2.

3.

1.
La crypte des Gros Piliers (XVe siècle) sert à soutenir le nouveau chœur prévu après l'effondrement du chœur roman en 1421.

2.
Notre-Dame sous Terre (milieu du Xe siècle). Cette église pré-romane devient une crypte à l'âge roman lorsque, surmontée d'une voûte, elle vient supporter la nef.

L'âge roman

Les moines ont pour vocation de prier : pour eux-mêmes, pour leurs familles et pour tous les hommes. Derrière les hauts murs du monastère, dans la « clôture », ils ignorent, en principe, les tentations et la violence du monde. Leurs journées sont divisées en huit heures : Matines, à la fin de la nuit, Laudes, Prime, Tierce, Sexte vers midi, None, Vêpres, Complies à la fin du jour.

Les fêtes religieuses

Les hommes du Moyen Age aiment les fêtes religieuses. L'architecture du Mont, avec son immense église, ses cryptes mystérieuses, ses grands escaliers se prêtent bien à de splendides cérémonies et à de grandes processions à travers l'abbaye.
L'abbé porte alors, comme les évêques, la mitre sur la tête et a la crosse à la main. Les moines, au lieu de la sévère et sombre bure, revêtent leurs chapes, longs manteaux sans manches, ou des habits blancs, les aubes. Des cierges illuminent le monastère. Les reliques, dans leurs châsses, et les Evangiles sont portés parmi les pèlerins, au milieu de nuages d'encens. A chaque « station », le cortège s'arrête et prononce d'ardentes prières.
Le chant liturgique accompagne ces cérémonies. Les moines ont la passion d'utiliser la musique, exprimée par la voix humaine, pour embellir leur prière. Ce « plain-chant » ou « chant grégorien », par son austérité et sa simplicité, permet de célébrer Dieu.

Les vieux bâtiments ne suffisent plus pour abriter les moines et accueillir les pèlerins, qui commencent à affluer au Mont. L'abbaye, grâce à la protection du duc de Normandie et grâce à ses richesses, s'agrandit donc. Il faut près d'un siècle pour achever cet ensemble roman. Un des anciens édifices, Notre-Dame-sous-Terre, reçoit une voûte, ce qui montre les techniques et les goûts nouveaux. La construction de la crypte de Notre-Dame-des-Trente-Cierges permet de soutenir le transept de l'église au nord. La chapelle Saint-Martin porte, avec sa voûte en berceau de plein cintre, le transept au sud. Les moines aiment ces couvertures de pierre qui améliorent l'acoustique. L'immense église, construite au sommet du Mont et terminée en 1084, trouve sa stabilité grâce à un squelette de colonnes et d'arcs, et non plus par un simple entassement de pierres, ce qui révèle les progrès en matière d'architecture. Les arcs permettent d'ouvrir des tribunes et des fenêtres pour faire entrer la lumière. Au nord de l'abbaye, les bâtiments « conventuels », destinés à la vie quotidienne des moines, se dressent sur trois étages.

Les pèlerins illustres

Très tôt, des pèlerins puissants viennent au Mont Saint-Michel pour y implorer la protection de l'archange. Grâce à leurs offrandes innombrables, l'abbaye se constitue un vaste domaine autour de la baie. Si chaque moine est pauvre, la communauté s'enrichit pour rendre ses cérémonies plus solennelles et ses bâtiments plus beaux, pour la gloire de Dieu.

L'abbé doit aussi honorer les protecteurs du monastère. Lorsque le duc Guillaume dit le Conquérant a réussi la conquête de l'Angleterre, le supérieur du Mont envoie six vaisseaux et quatre moines pour féliciter le nouveau duc-roi. Mieux que tous, l'abbé Robert de Thorigny s'impose, au XIIe siècle, comme un courtisan habile auprès d'Henri II Plantagenêt, qui règne sur l'Angleterre et une grande partie de la France. Cet abbé symbolise l'apogée du Mont Saint-Michel : en particulier, il enrichit la bibliothèque par des manuscrits rares et précieux.

Les miracles

Parce que le monde chrétien aime le surnaturel, lorsque quelque événement étrange et heureux survient au Mont, chacun l'attribue à l'influence de saint Michel, ce qui montre sa présence et son pouvoir. Les moines recueillent le récit de ces miracles que tous les pèlerins et les voyageurs répètent au fil des âges.

Les hommes du Moyen Age croient que les ossements des saints ont des vertus miraculeuses. Les religieux retrouvent un crâne percé d'un trou, considèrent que c'est celui d'Aubert, avec la marque laissée par l'archange, et ils offrent cette précieuse relique à l'adoration des fidèles.

3.
Le promenoir des moines (XIIe siècle). Cette belle salle voûtée d'ogives correspond à la première abbaye, celle de l'âge roman. La tradition y voit un promenoir où les moines se délassent en se promenant.

4.

4. La nef romane de l'église.

1.

2.

L'édification de la Merveille

Au début du XIIIe siècle, le grand royaume anglo-normand se disloque : le roi de France, Philippe Auguste, s'empare de la Normandie. Un allié du souverain français assiège le Mont Saint-Michel pendant ces troubles en 1204 : la ville et l'abbaye sont en partie incendiées. Pour se faire pardonner et gagner le Mont à la cause française, Philippe Auguste envoie une forte somme d'or pour permettre la reconstruction.

Les religieux, fatigués de l'obscurité et de l'étroitesse des salles romanes, veulent de l'espace et de la lumière pour le cadre de leur vie quotidienne. Les abbés portent donc leurs efforts sur les bâtiments conventuels. Ils édifient un ensemble d'immenses salles, sur trois étages, créé dans les quarante premières années du XIIIe siècle : c'est la Merveille, chef-d'œuvre de l'architecture gothique.

Les architectes ont beaucoup d'audace pour oser bâtir, sur ce rocher abrupt, un édifice aussi haut et aussi vaste ! D'énormes contreforts se dressent à l'extérieur. En hauteur, la construction doit être de plus en plus légère, pour éviter les effondrements si fréquents jusqu'alors : l'aumônerie et le cellier, à l'étage inférieur, ont des murs très épais et des voûtes puissantes ; au deuxième étage, la salle des Hôtes et celle des Chevaliers ont des colonnes et des voûtes d'ogives pour soutenir le troisième étage, celui du réfectoire et du cloître.

La vie des moines

La Merveille abrite désormais la vie quotidienne des moines. Les pèlerins les plus pauvres sont accueillis dans l'aumônerie, les nobles et les princes étant reçus, à l'étage supérieur, dans la salle des Hôtes. Ces deux salles se situent près de l'entrée, qui, alors comme aujourd'hui, s'ouvre à l'est. La communauté, fuyant la foule, se réserve les parties supérieures de la Merveille, près de l'église.

Au réfectoire, les repas se prennent en silence, pendant qu'un moine lit, du haut de la chaire, des textes sacrés. Le cloître, suspendu entre la mer et le ciel, permet la promenade, la méditation et la conversation.

Avant la découverte de l'imprimerie, il faut copier un texte pour le conserver et le reproduire. Les moines s'y consacrent, s'efforçant aussi de décorer et d'embellir ces manuscrits. Grâce à l'art de l'enluminure, couleurs et dessins illuminent, illustrent, les lettres et les pages. La bibliothèque fait du Mont une « cité des livres », tant les ouvrages y sont nombreux et riches. Car les religieux ne s'intéressent pas seulement aux sources de la foi chrétienne, mais ils se penchent aussi sur les œuvres de l'Antiquité.

3.

4.

1.
La salle des Chevaliers (début du XIIIe siècle). Les moines travaillent dans cette salle de style gothique, second étage de la Merveille.

2.
Un moine en prière, tel que le montre une enluminure, une de ces illustrations peintes pour orner les manuscrits que copient les religieux du Mont.
(*Histoire du Mont Saint-Michel*. © Bibliothèque d'Avranches)

3.
La salle des Hôtes. Elle sert à l'abbé pour recevoir avec faste les visiteurs qu'il veut honorer. Voici comment *les Imaginaires du Mont Saint-Michel* évoquaient, il y a quelques années, ce faste passé.

4.
Le clocher de l'église. Détruit et reconstruit à plusieurs reprises, il a trouvé son aspect définitif au XIXe siècle.

5.
Un pèlerinage au Mont Saint-Michel.
(© Bruno Colliot)

5.

Les pèlerinages

Pour l'homme du Moyen Age, le pèlerinage s'impose comme une obligation. Le Mont Saint-Michel est, bien sûr, le grand pèlerinage normand, mais il attire aussi des pèlerins de toute la France et de toute la chrétienté occidentale. Un chrétien va prier l'archange pour que ses péchés lui soient pardonnés et pour que ses espoirs soient réalisés.

Le pèlerin qui va vers le Mont porte le nom de « miquelot ». Comme tous les autres « marcheurs de Dieu », il se reconnaît à sa besace, sacoche de cuir suspendue à l'épaule droite, et à son bourdon, bâton noueux. Des coquilles, cousues sur ses vêtements, le désignent comme un pèlerin.

Une cité se blottit au pied de l'abbaye : les voyageurs y dînent dans les tavernes et dorment dans les hôtelleries. Des boutiques vendent des souvenirs, appelés « enseignes » de pèlerinage, en particulier des broches d'argent ou de vil métal représentant saint Michel ou des coquilles. Le pèlerin se contente souvent d'une « coque », ou « bucarde », ramassée sur les grèves.

L'abbaye dans la guerre de Cent Ans

La guerre entre la France et l'Angleterre menace dès le début du XIVe siècle : les historiens l'ont appelée « guerre de Cent Ans ». Elle ravage le royaume, accompagnée par la peste qui se répand alors dans la chrétienté.

Après les sombres défaites françaises, à Poitiers et à Crécy, un redressement s'amorce grâce au roi Charles V, aidé par son connétable Bertrand Duguesclin. Ce valeureux chevalier breton, capitaine du Mont Saint-Michel, laisse son épouse, Tiphaine Raguenel, à la protection de l'archange. Dans sa demeure, construite au sommet de la ville, Tiphaine s'occupe de bonnes œuvres et d'astrologie dont elle est passionnée.

La Normandie tombe aux mains des Anglais, en 1415, après le désastre français d'Azincourt. L'abbé du Mont, Robert Jolivet, accepte de se rallier aux Anglais, mais, à l'abbaye même, les moines refusent de suivre leur abbé dans sa trahison. Des chevaliers, dépossédés de leurs terres, trouvent refuge sur le rocher. Ils restent fidèles à la cause française et au dauphin Charles, plus tard Charles VII, le petit « roi de Bourges ».

Le siège du Mont

En ce début du XVe siècle, la situation du Mont Saint-Michel devient donc critique. Les Anglais décident d'abattre cette place forte qui leur résiste. Une citadelle, bien défendue et protégée par la mer, étant imprenable, il faut l'encercler pour l'obliger, par la famine, à se rendre. Le siège commence en 1424, mais une expédition de nobles bretons quitte Saint-Malo et disperse les navires anglais : cette victoire navale rend possible l'approvisionnement du Mont par la mer. Le siège total a échoué et la citadelle n'a pas succombé. Pour la première fois depuis longtemps, ce succès redonne confiance au camp français.

L'archange semble avoir permis ce miracle et son culte y gagne un prestige nouveau. C'est sans doute pourquoi saint Michel est l'un de ceux qui parlent à Jeanne d'Arc : « Je suis Michel, protecteur de la France, lève-toi et va au secours du roi de France. » Et il guide la bergère de Lorraine dans sa grande épopée qui lui permet de faire sacrer Charles VII à Reims.

1.

2.

3.

1.
Les remparts (fin du Moyen Age).

2.
La tour Gabriel (1524).

3.
La roue. Des hommes marchent à l'intérieur pour la faire tourner et tirer un chariot le long du poulain jusqu'à l'abbaye.

Enediate do
minum os
angeli eius
potentes uirtute qui facitis
uerbum eius ad audiendi
uocem sermonum eius ps.
Benedic anima mea do
mino et omnia que intra

5.

Les pastoureaux

Dès le début du XIVe siècle, les pèlerinages d'enfants ou d'adolescents se multiplient. Ces « croisades » enfantines restent des fêtes de la jeunesse, mais donnent lieu aussi à des désordres, puisque des valets, des apprentis et des vagabonds se mêlent aux jeunes gens. On appelle ces jeunes pèlerins « pastoureaux », nom donné aux petits bergers. Les enfants, parfois très jeunes – 8 ans –, viennent de loin, des pays du Rhin ou du sud de la France. Encadrés par des étudiants, ils se groupent derrière les étendards de leur localité à l'effigie de saint Michel. Ils partent parfois contre la volonté de leurs parents et restent longtemps absents. Même s'ils reçoivent des secours sur leur route, la fatigue, la maladie, voire la mort les menacent en permanence. Les autorités politiques et religieuses s'inquiètent de tels phénomènes, mais les pèlerinages d'enfants existent jusqu'à la Révolution française.

4.

Les chevaliers de saint Michel

A la fin du Moyen Age, Louis XI, roi très dévot, aime les pèlerinages et il vient deux fois visiter le sanctuaire qui symbolise la victoire sur les Anglais.

Il songe alors à créer un « ordre de chevalerie » dont l'archange serait le premier chevalier. Autour du roi de France se groupent les chevaliers de saint Michel, choisis parmi les plus grands seigneurs du royaume. Ils reçoivent un collier orné de coquilles d'or. Une médaille, représentant l'ange triomphant du dragon, y est suspendue avec, gravée, la devise de l'ordre : « *Immensi terror oceani* », la terreur de l'immense océan.

Les dernières constructions

Pour renforcer la défense du Mont, une ceinture de remparts et de grosses tours entoure la ville qui, jusqu'alors, a toujours été menacée. Avec ses canons, ses mâchicoulis, d'où les défenseurs peuvent laisser tomber les projectiles, ses échauguettes, guérites de pierre, où des gardes surveillent les alentours, le Mont Saint-Michel apparaît comme l'une des plus redoutables forteresses de cette époque.

Tout au long du XVIe siècle encore, les rois de France viennent visiter la célèbre abbaye, et François Ier y est reçu somptueusement. Mais les guerres de Religion bouleversent le royaume et entraînent le Mont dans le tourbillon des combats. A deux reprises, les protestants s'efforcent de s'emparer par la ruse de cette place forte catholique, qui résiste bien.

4.
Le poulain. Les moines utilisent une telle échelle de pierre, le long du rocher, afin de hisser les matériaux et le ravitaillement nécessaires à la communauté.

5.
Les mâchicoulis des remparts.

1.

L'abbaye en ruines

La vie monastique se dégrade peu à peu. Les abbés, choisis par le roi parmi les plus grands seigneurs, ne viennent plus au Mont. Un sursaut s'amorce lorsque de nouveaux bénédictins, les Mauristes, s'installent. Ces érudits se consacrent à l'histoire du Mont, qu'ils étudient à partir des manuscrits accumulés au cours des âges.
Les bâtiments, mal entretenus, tombent en ruine. Les deux hautes tours et trois travées de l'église s'effondrent ; elles ne sont pas relevées, mais une façade classique très simple vient les remplacer en 1780. Pendant ce temps, l'abbaye se transforme en prison, en « Bastille des mers ». Sans jugement, par simple « lettre de cachet », le roi condamne à vivre enfermés au Mont des opposants politiques, mais aussi, souvent à la demande de leurs familles, des nobles qui mènent une vie jugée scandaleuse ou des prêtres écartés par leur évêque. Les plus coupables ou les moins dociles sont enfermés dans des cachots humides et obscurs, voire dans une cage étroite, suspendue à un plafond au temps de Louis XI.

1.
La salle des Chevaliers transformée en atelier pour les prisonniers, d'après une lithographie des *Voyages pittoresques et romantiques dans l'ancienne France* par Taylor et Nodier, 1878.
(Collection de cartes postales de la Bibliothèque d'Avranches)

2.
Le pont-passerelle qui permettra d'appréhender un Mont Saint-Michel toujours maritime (simulation).
(© Équipe de maîtrise d'œuvre : Feichtinger Architectes, Dietmar Feichtinger, architecte, Paris/BET Schlaich, Bergermann & Partner, Stuttgart)

3.
Le Mont Saint-Michel à l'horizon... 2012. Simulation des aménagements.
(© Simulation Syndicat mixte de la Baie du Mont Saint-Michel/Imagence)

La résurrection du Mont

La Révolution française disperse les derniers moines, mais ne supprime pas les prisons du Mont Saint-Michel : l'abbaye ne sert plus que de « maison de force », lugubre et angoissante. Après chaque émeute ou chaque révolution manquée, de nouveaux prisonniers politiques y arrivent.

Quelques-uns parviennent à s'échapper, ainsi le peintre Colombat. Il s'empare d'un vieux clou, lors d'un incendie. Il perce le mur. Une complice lui fait passer une corde dans un pain. Entre deux rondes de nuit, il se laisse glisser le long de la muraille. Son évasion réussie le rend célèbre, du jour au lendemain. Un autre prisonnier, Barbès, tente de l'imiter, mais il échoue.

Pourtant, au même moment, les écrivains romantiques et les visiteurs du XIXe siècle redécouvrent l'abbaye dont ils admirent la beauté et l'architecture fantastique. Le Second Empire finalement supprime le pénitencier et, en 1874, le Mont devient « monument historique ».

Il renaît alors de ses ruines grâce à une restauration faite avec beaucoup de soin et de minutie. Parfois, l'imagination l'a emporté sur l'exactitude. Néanmoins, aujourd'hui, les techniques scientifiques et les recherches historiques permettent de connaître de mieux en mieux ce que fut autrefois le Mont et les travaux s'inspirent de cette image de plus en plus rigoureuse.

L'abbaye redevient aussi un centre spirituel. Après la célébration du millénaire monastique en 1966, une communauté bénédictine fait renaître l'abbaye. Puis, en 2001, l'évêque de Coutances et d'Avranches demande à la Fraternité monastique de Jérusalem, créée à Paris en 1975, de s'y installer. Au Mont Saint-Michel, la Fraternité se donne pour mission d'accueillir les pèlerins et de prier pour et avec les visiteurs.

De grands travaux doivent permettre au Mont de rester une île, tout en sauvegardant les équilibres naturels et humains de la baie. Un immense chantier, lancé en 2006, prévoit un nouveau barrage sur le Couesnon dont les lâchers d'eau

3.

permettront de déblayer les sédiments près du rocher, ainsi que le remplacement de la digue insubmersible par un pont-passerelle et enfin, sur les trois cents derniers mètres, par un gué submersible.

Ainsi le Mont Saint-Michel peut demeurer le témoin éclatant d'un millénaire d'efforts pour plaire à Dieu, aux moines, aux pèlerins et à tous les visiteurs.

4.
Une cérémonie religieuse de nos jours, dans l'église abbatiale du Mont.

5.
Une moniale dans le jardin au pied de l'abbaye.

5.

4.

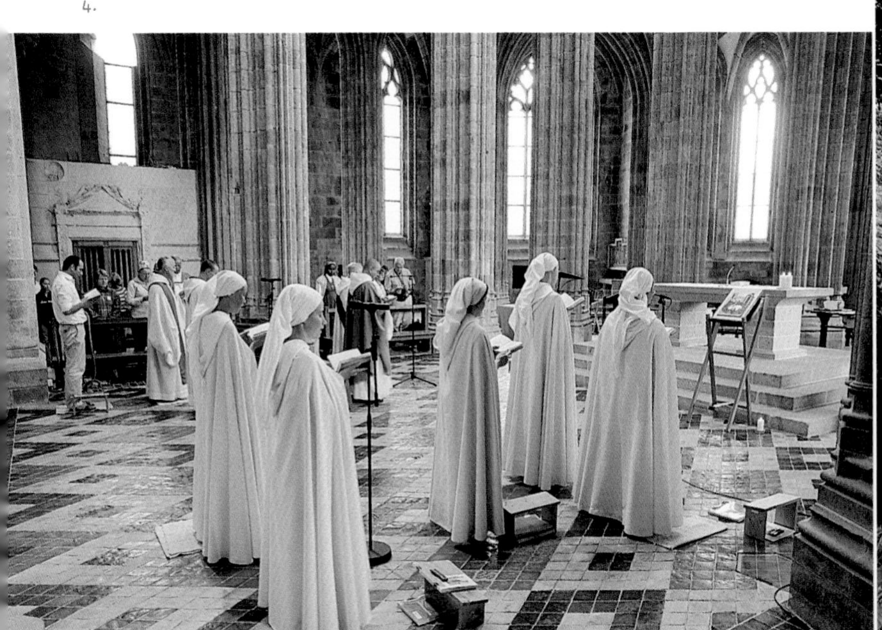

1.

2.

3.

Visiter le Mont Saint-Michel

La ville et ses remparts

Lorsque le visiteur parvient au pied du Mont Saint-Michel, il franchit d'abord trois portes, la porte de l'Avancée, la porte du Boulevard, enfin la porte du Roy. Les bombardes anglaises ont été récupérées après une attaque pendant la guerre de Cent Ans.

La petite bourgade normande se blottit au pied de l'abbaye. Autrefois, les pèlerins y trouvaient déjà des auberges. Quelques maisons anciennes ont survécu. L'église paroissiale est dédiée à saint Pierre.

Cette ville s'enveloppe de remparts, que le visiteur doit suivre. La tour du Nord est la plus haute de l'enceinte. La tour Boucle, la plus originale, car construite selon une forme polygonale, celle d'un bastion, annonce les innovations futures en matière de fortification. Les remparts et les tours montrent le souci de protéger, au moment de la guerre de Cent Ans, l'abbaye et la ville qui constituent ainsi une forteresse inexpugnable. La tour Gabriel doit son nom à l'ingénieur Gabriel Dupuy qui l'a fait construire. Un moulin à vent fut installé sur la plate-forme au XVIIe siècle. Elle protège les Fanils, où se trouvent les entrepôts de l'abbaye. Au pied du rocher, il faut découvrir aussi la fontaine Saint-Aubert.

L'entrée de l'abbaye

La rue principale de la cité montoise conduit vers l'abbaye qui couronne le rocher. Un escalier monumental, appelé le Grand Degré extérieur, conduit de la ville au monastère. L'entrée, là aussi, est bien défendue. D'abord par une barbacane, ouvrage défensif crénelé, puis par le Châtelet, flanqué de deux tourelles. Mais les murailles même de l'abbaye constituent de véritables remparts, avec au nord, la masse de la Merveille gothique, et au sud, la succession des logis abbatiaux. La salle des gardes rappelle la vocation militaire du Mont tout au long de son histoire.

Le Grand Degré intérieur conduit de la salle des gardes, jusqu'à une terrasse, le Saut-Gautier.

1.
La porte du Roy. La dernière des trois portes de la cité après celle de l'Avancée et celle du Boulevard.

2.
Les maisons de la ville vues de l'abbaye.

3.
Les cuisines de la Mère Poulard, où l'on prépare la fameuse omelette.

4.
Le déambulatoire du chœur (milieu du XVe siècle). Ces puissants piliers peuvent supporter les hautes voûtes du nouveau chœur.

5.
Les armes de Robert Jolivet, l'abbé qui se rallie aux Anglais et abandonne la cause française pendant la guerre de Cent Ans.

6.
La croisée du transept roman et le chœur flamboyant achevé au début du XVIe siècle.

L'église abbatiale

On accède à la terrasse de l'ouest qui a remplacé les travées écroulées de l'église romane et qui domine la mer. La façade classique, très dépouillée, date du XVIIIe siècle. Le clocher roman, reconstruit à la fin du XIXe siècle, est surmonté d'une flèche gothique, imitée de Notre-Dame de Paris. Une statue de l'archange saint Michel, qui terrasse le dragon, œuvre de Frémiet, vient achever la silhouette contemporaine du Mont.

A l'intérieur de l'église, un blason rappelle les armes de l'abbaye, avec les coquilles, symboles de pèlerinage, et des fleurs de lys, signes de la protection du roi de France.

La nef romane, qui accueillait les foules des pèlerins, a été construite au XIe siècle, puis restaurée au XIIe siècle. Des colonnes adossées aux murs servent de contreforts intérieurs et de forts piliers permettent de supporter une charpente de bois, plus légère qu'une voûte de pierre. Des bas-côtés viennent soutenir cet immense vaisseau. La nef est rythmée par des travées, et, en hauteur, par trois étages : les grandes arcades, les tribunes, les fenêtres hautes.

Le chœur roman s'est écroulé et laisse la place, à la fin du XVe siècle, à un chœur de style flamboyant. Les trois étages de la nef s'y retrouvent, mais l'élan vertical de l'ensemble prime. Le triforium apporte un élément décoratif original : cette galerie à claire-voie, qui laisse pénétrer la lumière, semble une véritable dentelle de pierre, avec ses arcs et ses ogives de forme élancée – ou lancettes. Un déambulatoire tourne autour du chœur.

Pour étayer les voûtes du chœur, très hautes, des arcs-boutants s'appuient sur des colonnes et des murs à l'extérieur. L'ensemble de ce chevet forme un quart de sphère, où le génie décoratif de l'art flamboyant multiplie les pinacles, en forme de pyramide, ornés de fleurons ou fleurs de pierre. L'escalier de dentelle permet d'escalader le chevet, et de découvrir, du sommet de l'abbaye, toute la baie.

Au nord de l'église et au même niveau qu'elle, se trouve le dortoir de l'âge roman. A l'étage inférieur, Notre-Dame-des-Trente-Cierges, crypte qui soutient le bras nord du transept, est consacrée à la Vierge. Une belle salle, voûtée d'ogives, a reçu le nom de promenoir des moines, sans que les historiens sachent vraiment sa vocation. Au-dessous, l'aumônerie romane porte le nom de salle de l'Aquilon. Proche de l'entrée de l'abbaye romane, elle permettait d'accueillir les pèlerins. Cette salle a reçu des voûtes d'arêtes, qui annoncent les voûtes d'ogives.

Notre-Dame-sous-Terre correspond à l'église préromane qui servit ensuite de crypte pour soutenir l'abbatiale. L'abbaye se prolongeait au sud par les bâtiments destinés aux pèlerins, mais l'hôtellerie s'est effondrée au début du XIXe siècle. Une grande roue a été installée tout près. Des hommes marchaient à l'intérieur pour ainsi hisser un chariot, le long du poulain, véritable échelle de pierre, inclinée le long du rocher.

La crypte Saint-Martin soutient le bras sud du transept, avec sa voûte en plein cintre d'une rigueur austère. La crypte des Gros Piliers, construite à la fin du Moyen Age, de 1446 à 1450, permet d'étayer le nouveau chœur, par dix énormes piliers, dont deux évoquent des palmiers.

4.

5.

6.

1. Le chevet de l'église. Les contreforts, surmontés de pinacles, pyramides ornées de fleurons, c'est-à-dire de fleurs de pierre, caractérisent bien l'exubérance du style, dit flamboyant, de la fin du Moyen Age et du début du XVIe siècle.

2. La Merveille vue de l'ouest. Un troisième édifice devait surgir à cet emplacement. Les moines conservent leurs archives dans la petite salle au sommet, le chartrier.

Découvrir la Merveille gothique

Au niveau supérieur de la Merveille, le cloître sert de lieu pour la promenade et la conversation : des galeries entourent le petit jardin suspendu. Pour soutenir les charpentes de bois, des colonnettes de granitelle rose, disposées « en quinconce », forment une série de trépieds qui donne à l'ensemble une bonne stabilité. Au-dessus, entre les arcades, le calcaire de Caen, très tendre, a permis, pour les écoinçons, une décoration raffinée, où le thème végétal domine, tandis que les sculptures se dégagent sur un fond d'ombre. Quelques écoinçons sont ornés de figures : l'agneau pascal, le Christ, saint François d'Assise. Sur le mur méridional, le *lavatorium*, avec son double banc et sa fontaine, permettait à l'abbé de laver les pieds des moines, comme le Christ ceux de ses apôtres. Les trois baies devaient conduire à la troisième partie de la Merveille, à la salle du chapitre, qui n'a pas été construite. Au coin nord-ouest se trouve le chartrier, abritant les chartes, les archives de l'abbaye.

Au même niveau, se trouve le réfectoire. Pendant le repas, un des moines lit des textes sacrés, depuis sa chaire logée dans la paroi méridionale, et toute la salle, grâce à son excellente acoustique, porte sa voix. A une voûte de pierre, qui aurait été trop lourde, les architectes ont préféré une couverture de bois, comme une immense carène de bateau renversée. Les fenêtres hautes et étroites, véritables meurtrières, encadrées de colonnettes, invisibles de l'entrée, déversent la lumière, sans affaiblir les murs épais.

Au deuxième étage de la Merveille, la salle des Chevaliers est le lieu où travaillent et étudient les moines. Son nom rappelle

4.

l'ordre de chevalerie, créé par Louis XI, même si aucune cérémonie de l'ordre n'y a eu lieu. Il sert donc de *scriptorium*, l'atelier des copistes et des enlumineurs. Les grandes cheminées permettent de chauffer cette salle, d'où son nom de « chauffoir ». De larges fenêtres font pénétrer une lumière abondante, indispensable pour le travail. Les robustes piliers, ornés de feuillages, supportent de belles voûtes d'ogives.

Au même étage, à l'est, la salle des Hôtes sert pour les visiteurs que l'abbaye veut honorer. Deux nefs où l'on allonge les tables, deux grandes cheminées où l'on prépare la nourriture, des latrines dans le mur nord, voilà l'équipement d'une salle de réception. Par l'élégance des ogives et des colonnes, par la luminosité assurée grâce à de grandes baies, par la beauté des feuillages stylisés, l'art gothique se fait art d'apparat. C'est l'une des plus élégantes créations de l'architecture civile au Moyen Age. Dans la chapelle Sainte-Madeleine voisine, les invités font leurs dévotions, avant et après le repas.

A l'étage inférieur, le cellier et l'aumônerie sont d'une grande simplicité et d'une belle robustesse. Une baie et une rampe permettaient de hisser les vivres dans le cellier. L'aumônerie est destinée aux pèlerins les plus pauvres.

Une tour, la tour des Corbins ou des Corbeaux, couronnée d'un toit pyramidal de pierre, à l'angle sud-est de la Merveille, permet de passer d'un étage à l'autre.

Au-dessus de la salle des gardes, Belle-Chaise doit son nom au siège que l'abbé Pierre le Roi y a fait installer, pour rendre la justice. Cette salle fait partie des logis abbatiaux qui se dressent au sud de l'abbaye, véritable palais de l'abbé.

5.

6.

3. La salle des Chevaliers.

4. La salle des Hôtes, « l'une des plus élégantes créations de l'architecture civile au Moyen Age » (Germain Bazin).

5. Un écoinçon du cloître représentant l'agneau pascal, portant l'étendard de la Résurrection et encensé par deux anges.

6. Le réfectoire. Les étroites fenêtres, invisibles de l'entrée, font entrer la lumière sans affaiblir les murs.

Informations pratiques

Pour découvrir ou parcourir la baie du Mont Saint-Michel

Maison de la Baie
50530 Genêts
Tél. 02.33.89.64.00

Office du tourisme du Mont Saint-Michel
Tél. 02.33.60.14.30

Communauté monastique du Mont Saint-Michel
BP3, 50116 Le Mont Saint-Michel
Tél. 02.33.60.14.47

Abbaye du Mont Saint-Michel
ouverte toute l'année (fermeture les 1er janvier, 1er mai, 25 décembre).
Tél. 02.33.89.80.02

Scriptorial d'Avranches
Musée des manuscrits du Mont Saint-Michel.
50300 Avranches
Tél. 02.33.79.57.00

Visites audio avec PocketVox

Visitez le Mont Saint-Michel en toute liberté en téléchargeant une promenade audio (disponible en français et en anglais) sur le site www.pocketvox.com

En effet, grâce aux visites audio PocketVox, c'est désormais très simple de découvrir à votre rythme des sites touristiques majeurs, des grands monuments, des musées mais aussi des petites rues méconnues et des lieux insolites.

- Vous choisissez vos visites et vous les téléchargez sur votre ordinateur.
- Vous les chargez sur tout support d'écoute compatible MP3 (téléphone mobile, lecteur MP3, iPod, baladeur CD, Palm...).
- Une fois sur place, vous profitez de la visite quand vous le souhaitez.

Au moment du paiement, saisissez le code offre spéciale ouest pour bénéficier d'une remise de 50 % sur vos visites audio.

1. L'aumônerie gothique.
2. Les armoiries de l'abbaye.
3. Les tours de la ville.

Panoramique

Photo panoramique :
Le Mont Saint-Michel au soleil couchant.

Demi-panoramique :
Le cloître gothique. Au sommet de la Merveille, les élégantes galeries entourent le petit jardin. Cet espace entre ciel et mer, réservé autrefois aux moines, leur permet la promenade, le recueillement ou la conversation.

De part et d'autre du panoramique :
Le Mont vu du nord-ouest. Lorsque les trois premières travées de l'église s'effondrent au XVIIIe siècle, elles ne sont pas relevées et une esplanade les remplace. Une façade classique ferme le sanctuaire.

Saint Michel et le dragon, miniature des *Très Riches Heures du Duc de Berry*, début du XVe siècle. (Musée Condé - Photo RMN - © René-Gabriel Ojéda)